DANIEL BRANDELY

LA BIBLIOTHEQUE MUETTE

Rhinau

octobre 1988 - juin 1989

KOOKABURRA EDITIONS

PREFACE

Sur le tranchant du couteau-plume
Antonin Artaud se préface : *Là où d'autres proposent des œuvres je ne prétends
pas autre chose que de montrer mon
esprit.*[1]
On est en 1924 et Marcel Broodthaers
naît cette année-là. En 1969 il fait un
court-métrage apparaissant assis en
plein air à une table. Il ne chante pas
mais écrit sous la pluie. *L'auteur conti-
nue impassiblement son écriture sans se
soucier de la dégoulinade sur son visage, du papier souillé ou de l'encre qui
déborde... tandis que l'eau inéxorable-
ment efface chaque trace d'écriture.*[2]
Trente ans avant, en 1939, l'occident se
fait la mort. René Daumal sent la sienne
gonfler sa poitrine comme le nénuphar
de Chloé. La fleur mettra le temps de la

guerre pour l'étouffer. Mais il a pu grimper sur un sommet et cherche les mots pour le dire : *Avec cette montagne comme langage, je parlerais d'une autre montagne, qui est la voie unissant la terre au ciel, et j'en parlerais non pas pour me résigner, mais pour m'exhorter.*[3]

Ces trois fantômes se sont perdus dans les multiples tiroirs de l'Histoire. C'est en regardant le ciel de mon désert que j'ai revu leurs étoiles se touchant presque. Car avec d'autres, Magritte avait écrit DESIR.[4] Depuis je répète dans le sable l'écrit du désir...

Un grimpeur regarde la cime pure qu'il vient de redescendre. Son corps commence à fondre comme la neige de là-haut. *Le piolet sous une armoire,* il se met à gravir les mots d'un autre sommet.

Il pleut sur une lettre impossible. Le geste s'acharne à la tâche inutile. Mais on peut lire entre les gouttes ce que le papier ne dit pas.

Et un corps donne son sang pour en faire l'encre de l'esprit. Avec cette étoile on peut écrire DELIRE.

Est-ce un moindre mal qui donne des mots au pluriel ?

Est-ce plus ou moins grave ?

René Daumal était alpiniste, Broodthaers belge, quant à Artaud, il était ailleurs. D'autres avant et d'autres après eux font une suite inachevée de gens de l'être qui ne sait plus comment s'écrire. Des habits verts, certes, des écrivains, sans doute, des scriptophages, c'est inévitable, ont le devoir et le droit de plumer, déplumer ou emplumer la langue. Mais on aimerait encore lire quelques ventriloques ayant bien digéré la parole. Des nasiloques qui, à s'exprimer du célèbre appendice ont du flair pour les bons mots. Des amnésiques à la grâce d'avoir tout oublié. Ceux qui n'ont jamais rien à dire et énervent tout le monde. Ceux qui en ont trop dit et veulent se rétracter. Ceux qui ont quelque chose à ajouter. Des marchandes de glace qui ont certainement de bonnes raisons pour parler.

Personnellement je suis marchand de sable. Je viens d'endormir quelques livres sous mon grain et de faire mes contes sur du papier de verre.

Dans mon désert j'avais pris l'habitude d'élever la voix, sûr de ne gêner personne. J'ai dû renoncer et me taire car le sable me séchait la gorge. Alors, ne pouvant plus parler tout haut j'ai écrit tout bas. Sur le sable j'ai tracé d'un doigt les pattes de la mouche tsé-tsé.

Notes

1. Première phrase de *L'Ombilic des Limbes*

2. In *Broodthaers*, catalogue Galerie Isy Brachot-Paris. *La Comédie Humaine*, Nicolas Calas. A propos de *La Pluie (projet pour un texte)*, court-métrage de Marcel Broodthaers

3. *Le Mont Analogue*, René Daumal. Edition L'Imaginaire, Gallimard 1981. Fragment de texte n° 4, *Note de l'éditeur*

4. *L'usage de la parole*, René Magritte. Gouache, Galerie Isy Brachot-Bruxelles

Un jour ou une nuit - entre mes jours et mes nuits, quelle différence y a-t-il ? - je rêvai que, sur le sol de ma prison, il y avait un grain de sable. Je m'endormis de nouveau, indifférent. Je rêvai que je m'éveillais et qu'il y avait deux grains de sable. Je me rendormis et je rêvai que les grains de sable étaient trois. Ils se multiplièrent ainsi jusqu'à emplir la prison, et moi, je mourais sous cet hémisphère de sable. Je compris que j'étais en train de rêver, je me réveillai au prix d'un grand effort. Me réveiller fut inutile : le sable m'étouffait... Je me sentis perdu. Le sable me brisait la bouche, mais je criai : "Un sable rêvé ne peut pas me tuer et il n'y a pas de rêves qui soient dans d'autres rêves."

L'Ecriture du Dieu, L'Aleph. Jorge Luis Borges, traduction Roger Caillois, Gallimard 1967.

LA BIBLIOTHEQUE MUETTE
OU COMMENT J'AI ANNULE
LES LIVRES DES AUTRES

*Je ne connus vraiment la sensation
du succès que lorsque je chantais en
m'accompagnant au piano et surtout par de nombreuses imitations
que je faisais des acteurs ou de per-
sonnes quelconques.*
Raymond Roussel

On dit que les murs ont des oreilles.
Mais s'est-on déjà inquiété de ce qu'ils
en font ? A juger leur nature passive et
verticale cela tient d'une pratique intros-
pective. Ils se laissent conter des histoires et finissent par dormir debout sur
leur première pierre. Et, bien que les
paroles fassent le mur on se retrouve à
son pied sans en avoir appris davantage.
Mais les paroles n'en restent pas là.
Elles vont et viennent entre nos propres

oreilles. Par l'intérieur ou à l'extérieur, le point de vue a une certaine importance. Postillons, elles sont emportées par les courants d'air. On en trouve dans les caniveaux, sur les comptoirs épongés avec le sucre poisseux des alcools renversés. Quand d'autres glissent comme des b a bas de soie sous des canapés engourdis. Plaisirs de chaire, rencontres d'autel, les paroles en l'air se font et se défont.

Mais un jour ou l'autre les mots jettent l'encre. Ils se calent en tas au chaud sous des couvertures. Et vivent alors à l'altitude des étagères, partageant leur état avec la compagnie acarienne. C'est une étrange mutation à rebours. Les papillons étourdis sont emboîtés comme des asticots.

Les livres tiennent du sac à main et de la pochette surprise. On croit être seul à savoir ce qu'ils contiennent mais tout le monde en a fait le tour. Il en reste une odeur secrète pourtant, un petit privilège de marque. Croissant chaud, chaussure neuve ou bâton de rouge, goût de sucette ou de tabac froid, son parfum s'enferme avec les mots des autres. Par livre on en sort des kilos et l'on a plus de livres qu'il n'en faut pour reconstruire la muraille de Chine avec son encre.

Ils arrivent en douce au bout de gestes courts ou par des approches de braconnier. Un livre par enfant, un enfant par livre. D'autres font un lot sans histoire dans un sachet d'épicerie. On les abandonne comme une tranche de pain rassis dans la poussière. Il y a de la résignation et du soulagement. Un livre lu n'est qu'un passé à ses mesures devenu trop petit. On veut le garder mais on veut se perdre.

Ces livres sont usés pour la plupart. Brisés par le jeu et griffonnés comme les couloirs du métro. Les plus avachis semblent avoir donné le meilleur de leur forme dans les lits, sur l'herbe des goûters et les tables d'école. Mais certains sont à ce point irréprochables de netteté qu'ils pourraient courir le risque de s'effacer si la lumière venait à éclairer leurs pages aussi fragiles que les fresques d'un tombeau.

Je me rassure de changer le vert et le rose en couleur sable, la pâte à papier en pierre et les titres en poème.

Ma volonté est farouche. Chaque ouvrage doit se confondre aux autres dans la bute commune. L'histoire est refermée. La couleur est oubliée. Pris dans le sable le temps emporte le livre hors des mains et des yeux.

C'est au poids des livres que je mesure l'éloignement de leurs promesses. Car le sablier s'écoule tourné sur un seul vase. Il n'y a pas de renversement possible. Ils perdent leur visage de carton ou de cuir pour se couvrir d'un grès uni. Ils durcissent. Ils se détachent un à un de la carrière, d'une plume de fer qui les délite d'une montagne.

L'hiver se termine. Chacun accorde un avenir aux robes légères et aux envies

volatiles en voyant les crocus se relever.
Mais les livres s'alourdissent et entrent
dans une nuit australe. Avec eux je passe
aux antipodes. Et de mon observatoire
je vois des colchiques dans le pré.

La lecture est une sorte d'inquiétude qui
plane sur les pages. Les yeux prennent
une langueur et les doigts bougent par
attouchements. Car c'est bien sur les
corps que le sable apporte son sel. Sur la
plage, avec l. Que se passe-t-il sous ce
soleil ? Les mots s'échangent des regards
derrière des verres fumés. On les croit à
tous. Mais à les relire entre les lignes des
feuilles écartées, on se met à les prendre
pour soi. Une subtile obscénité déjouée
se déshabille d'une intime vulgarité.
J'en suis à douter du genre de ma démarche
si je peux à volonté poursuivre ce profit.
Quelle aventure ne vient pas se tourner vers
moi, étrangère, en un instant entre mes
mains ? Si je peux aussi décider de sa fin.
Etre volage et injuste. Si enfin sur le carrelage
de cette morgue je deviens embaumeur.

Je saisis chaque livre entre le pouce et l'index. Je coule ma salive d'araignée sur la nicotine de sa tranche. Je scelle ces trois faces étroites comme le couvercle de la boîte de Pandore. Je m'assure d'y piéger les maux et d'en sauver l'espérance. Les feuillets se frisent comme la chair saisie par une cuisson vive mais par la pression de ma poigne le poison se coagule sous le premier voile de sable.

Le livre vieillit d'un siècle mais on devine le leurre. C'est le poudrage d'un pied humide enfoncé dans la dune.

L'haleine de fève douce est envahie du vinyle de la colle. Le marbre lisse ou le gaufrage de la couverture ne sont qu'une seule peau rugueuse. Mais des points de couleur la piquent encore. Le livre et son spectre se partagent la même vie.

Lorsque le pinceau se reprend, un lait fluide le blanchit uniformément. Puis le sable fait un tissu opaque qui s'éclaircit à nouveau. Il faut quatre pluies du nuage de sable crevant sur cette île pour qu'une cendre homogène lui ôte son visage.

Je vois des poireaux en vrac au bord de l'allée. Et des lignes tracées au cordeau. L'espace d'une main sépare les trous du plantoir. Puis des poignées de terre tassées par un verre d'eau retiennent ces doigts greffés. Ils pointent le ciel comme une interminable sanction. Mais cette gravité dérisoire finit par s'accomplir. Autant de butes montent autour du légume vertical. Il s'allonge par le blanc et forcit comme le manche de la bêche. L'impitoyable processus se concentre à l'essentielle rectitude. Entre le vert et le bulbe passe une droite qui part comme un rayon au bout de l'univers ainsi relié au centre de la terre. Le bleu de Solaise et le gros jaune du Poitou ont le coeur tendre mais la tête élevée par leur condition cosmique.

Le jardinier appuyé sur sa binette regarde dans le vague. Il fait le poireau et le voit grandir. Il attend pareil miracle de son propre destin.

Sur les chapiteaux des colonnes il n'y a qu'une saison pour les feuilles

17

d'acanthe mais elles commencent à tomber. Aux corniches des cathédrales des bêtes basculent dans le vide. Elles retiennent leur souffle sous leurs grimaces. Aux frontons les madones entrouvent leurs lèvres et leur geste n'ose pas aboutir sa caresse. Des supliciés retiennent leur souffrance dans les plis de la gouge. La magie est dans ce silence contenu. Depuis longtemps les statues immobiles ouvrent la bouche, tendent leurs veines pour parler. Alors que le papier essuie nos fesses et nos esprits. Et que du même feu la crotte et la pensée donnent un peu de lumière et beaucoup de fumée.

Pour tous les mots d'occasion raturés et les discours bredouillés quelques histoires se sont changées en épitaphes. Dans la roche ce sont des fossiles muets. Car ces pierres ne parlent pas plus que les autres. Mais elles ne disent rien parce qu'elles savent pourquoi se taire. Et pour l'éternité qui crève d'avoir trop attendu, pour ses temples qui s'effritent comme du pain d'épice, ses livres brûlants de fièvre, elles servent à bâtir un mur. Un mur fait d'un seau de sable et d'un cartable rempli de livres.

La lecture
Bronte cemetery, Sydney 1987
photo D.B.

LE TAILLEUR DE PIERRE

Le tailleur de pierre ne ménageait pas sa peine. Il prenait dans la montagne des pans entiers qu'il découpait en blocs réguliers. De dimensions variables, ils étaient aussi d'une géométrie sans défaut. Car aussitôt achevée, la pierre était emportée. Non loin on édifiait une muraille de l'assemblage à cru de ces blocs donnant à l'ouvrage un équilibre infaillible. Plus haut montait le mur, plus creux était le flanc de la montagne.

Il semblait à tous que le sens de ses efforts portait sur le déplacement de la gigantesque masse minérale. Mais chacun aussi s'était persuadé de l'exigence d'un grand créateur qui l'avait échouée sur ces lieux pour de bonnes raisons. De sorte qu'on douta longtemps de la nécessité du tailleur et de son aspect sacrilège. Puis on s'y habitua car l'ampleur du travail l'emportait sur la croyance. On finit même par penser que la paroi verticale était un bon emploi de la pente aride. Et le mur se trouva si bien à sa place qu'il se substitua à la montagne comme la preuve d'une inspiration supérieure. Mais on ne sut jamais comment la cause fut véritablement acquise et si un autre acteur que ce tailleur eût gagné la même estime et un tel pouvoir.

Le mur rentra dans les usages coutumiers. Du plus anodin, certains y pissaient jusqu'à hauteur de tête, au plus sacré, on venait s'y prosterner et déposer des offrandes. Il traversait le temps comme un immense cadran solaire à l'ombre mobile où vivait un peuple. Les enfants gravaient sa base, certains tentèrent un assaut mais personne jamais ne trouva prise pour atteindre son sommet.

L'échafaudage qui accompagnait l'élévation demandait des prouesses. La taille, quant à elle, semblait d'une épuisante monotonie. Une sempiternelle répétition des gestes. Mais il en avait été toujours ainsi et rien ne présageait que cela s'arrêterait un jour. Des ancêtres aux novices on ne contait qu'une histoire d'un homme sans passé ni avenir. Et le tailleur n'ajoutait ni n'ôtait rien à son sort. Personne n'avait jamais vu les lignes de sa main soudée à l'outil et l'on doutait qu'on pût les dissocier. A peine semblait-il que les pierres les plus récentes fussent différentes des premières. Mais au fil des années, le soubassement s'étant chargé d'une patine indélibile, il devenait dès lors impossible d'en juger. L'onguent de graisse, d'urine et de saleté, les incrustations et le poli parlaient de l'histoire du peuple et non de la genèse du mur. Quand aux blocs vifs qui s'envolaient encore sur sa cime on n'avait plus rien à en dire, ils n'existaient pour personne. A quoi tenait l'impression de l'écart alors que les deux bouts du chemin se perdaient ou se rejoignaient ailleurs dans un monde étranger ? Sinon dans l'oeil du tailleur où brillait une lumière différée, celle d'une étoile éteinte qui scintillait encore.

Il lui arrivait de s'interrompre sans signe de renoncement ou de distraction. Il s'écartait alors du chantier et disparaissait pour un temps. On ne le suivait pas, pour son respect, mais aussi parce qu'on n'eût pas appris autre chose que ce que l'on savait déjà. Des voyageurs en témoignèrent, il montait sur la crête de la montagne. Celle dont il affaiblissait chaque jour les fondements. Il restait à regarder le mur tombant du ciel se ficher comme une lance au fond du cirque. Quelles étaient alors ses pensées, si haut perché devant l'oeuvre toujours inachevée ? Il n'en disait rien. Les commentaires couvraient son silence et les plus folles idées s'inspiraient de la situation.

Il ne faisait pas de son attitude une valeur exemplaire. Il déjouait même habilement les questions qui allaient dans ce sens. Son assurance se concentrait sur la pratique de la taille. Il décourageait tout profit qu'on eût tiré de son expérience de vie. Cela ne ressemblait pas tant à une protection qu'à une limite que le temps et les événements avaient tracée autour de sa personne. On pouvait, au plus, l'imiter et bâtir un second mur. On eût pu être tenté de prolonger un geste personnel à la manière de sa tâche obsessionnelle. Mais personne ne trouva d'acte aussi inutile à sa mesure. Le quotidien était fait de mille actions imbriquées à chacune sa nécessité. Sans compter sur une part imprévisible qui venait à tout moment dévier une intention et demander qu'on on changeât.

Lorsqu'il parlait, abondamment comme une eau de fontaine, il semblait ajouter les mots les uns aux autres et se laisser entraîner avec eux. C'était une immense curiosité de voir l'homme si habile de sa main dériver avec la parole. Il montait et démontait des propositions pour finir par les laisser en pièces. Il constituait un puzzle dont il n'avait pas le modèle et par impatience le négligeait. Mais il le reprenait parfois longtemps après, autrement, car il avait aussi oublié ses premières tentatives. Ainsi, de longues soirées et de longues nuits il se rendait aussi ivre que ses compagnons de fête. Chacun parlait sans se préoccuper d'être compris, ni même écouté. Ils apportaient une histoire comme ils avaient mis un morceau de viande dans le pot commun. Personne ne savait qui l'avait mis et tous mangeaient ce qu'ils en retiraient, au hasard.

Quand le tailleur mourut, le mur s'arrêta de monter. Cela ne fit aucune différence, il était déjà allé trop loin au-delà de la compréhension. La parole courut de plus belle. On se tourna alors vers le monstrueux coup de dent qui avait enlevé à la montagne une bouchée colossale de son flanc.
On vit un volcan se déverser sur la plaine et recouvrir un peuple de sa pierre liquide.

LA MAISON DES AUTRES

Le train ralentit. Entre chien et loup la banlieue annonce une ville qu'on ne verra pas. On restera dans sa marge. Les rails ne sont que des rives qui ne pénètrent jamais. Les maisons touchent presque la voie par leur cour ou leur jardin. Il fait un peu jour. Les volets sont encore ouverts et les rideaux tirés. Il fait aussi un peu nuit. Les plafonniers et les appliques allumés mettent les intérieurs en vitrine. Et la vitre du compartiment devient familière, le regard passager indiscret. Il prend une accolade pour une étreinte passionnelle, une ombre pour un corps nu et chaque fenêtre pour un écran.

Mais les images se poussent et disparaissent. Puis c'est le tour des maisons. Le train se précipite dans la campagne vide. Le ciel s'assombrit. L'horizon n'a plus d'échelle. Le goût de praline et de bouche à bouche, amande et baiser, volé près de la fête est reperdu dans une rue sans âme ni corps.

On passe mais on n'entre pas. L'histoire reste inconnue à celui qui n'a pas de bagage. Il faudrait arriver depuis les coulisses et frapper au décor trois petits coups. Arriver sur scène, être sans influence, être aussi sans négligence, être dans son rôle dans une pièce écrite pour d'autres. Et finalement soupirer de plaisir comme un amant qui sait qu'il repartira avant qu'on change les draps.

Dans la pièce blanche inoccupée, je vois un jardinier qui traverse parfois le pré. C'est une cuisine avec un sol carrelé et un évier. J'ai fait porter trois tables d'écolier et une chaise. J'ai pris moi-même au rebut un vieux fauteuil. Il est resté sans usage mais ne m'encombre pas.

Une sorte d'abside de verre sépare la pièce du terrain où elle ouvre de plein pied. C'est un sas totalement vide sinon rempli de lumière me renvoyant une clarté égale et constante. Si toutefois le soleil arrive à pénétrer, il suit une géométrie brisée par les écrans de verre successifs et se projette sur le dernier mur comme une brûlure sous une loupe. A travers les deux parois transparentes je vois une bande de maisons mitoyennes formant un seul front devancé par des jardinets et des étendoirs à linge. Cette vue couvre la moitié du cadrage. Le reste est fait du ciel où je guette les signes de la véritable nature du jour qui me parvient par effet de serre.

La pièce a quatre issues possibles malgré sa petite taille. Mais curieusement elle n'en laisse rien paraître. Hormis la sortie vitrée vers le sas, il y a encore trois autres portes. Deux d'entre elles ouvrent sur des pièces vides du logement. La troisième donne sur un local assimilable à une buanderie dont une autre porte permet d'accéder à un garage. J'arrive à la cuisine par cette voie après contournement d'un tracteur et divers objets entreposés.

Je me suis assis face à l'extérieur. Le fauteuil vide se trouve dans mon dos. N'ayant ni montre ni horloge, le sable dont je dispose pourtant en quantité et d'ordinaire si précis à la mesure du temps, m'emporte sur des orbites relatives. Le silence n'a qu'un son. Un seul comme un repère à ne pas éviter, un bourdon de quelques secondes qui me permet de tirer une barre sur un événement qui se produit ailleurs. C'est une cloche électrique qui encadre l'heure écoulée ou la récréation. Car le collège est à deux pas, de l'autre côté d'une allée de graviers. Rien d'autre ne lui donne prise sur ma réclusion confortable, à peine parfois des cris d'enfants mais le plus souvent si affaiblis qu'il me semble avoir tout imaginé.

Au dehors des trains invisibles continuent à rouler. Je ne m'attache pas aux regards qui me suivent et les laisse passer vers leur destination.

Avant l'hiver ces murs cloisonnaient une pièce neutre. Qui n'avait pas séjourné là suffisamment longtemps ne pouvait connaître son exclusion. Ni la fixité de son paysage, ni la permanence de son calme, ni la douceur de son climat. Lorsque j'arrivai là, nul ne savait ce qu'il pouvait attendre de l'autre. Moi, de ce vide et ces murs, de l'obstacle que je constituais. Je pris alors l'apparence d'un caillou ordinaire et l'absence du lieu m'absorba comme une eau profonde.

Depuis je glisse vers un fond au centre de mon remous mais sans repère, je peux tout aussi bien être occupé à monter. Ce mouvement me façonne comme une houle détourant un tesson de corail. Ou comme un bois flotté, me maquille en os délavé. Car si l'eau coule seulement du robinet, le rouge — je n'ai curieusement que l'eau chaude très rapidement brûlante —, elle s'impose comme l'antithèse vitale de la sécheresse dans laquelle je me suis installé. Le sable s'est répandu comme une dune mouvante. Dans mon indolence minérale je sens parfois les signes d'une vie élémentaire. Et le caillou se change en coque imperceptiblement animée par mon pied de gastéropode. J'attends que l'évolution se fasse sans précipitation. Qu'ensuite je devienne pagure dont la queue en corne s'enroule dans une coquille vide pour y vivre quelques vagues en ermite. Et puis crabe mou dans une flaque pour voir l'océan et sa plage en une seule fois, attendant encore de la création une carapace et une paire de pinces.

LA POUDRE AUX YEUX

A Uscita,

Witchetty Grub écarquille les yeux. Autant qu'il le peut car il s'en fait ausi de la bouillie en les récurant des deux poings. Il ne sait toujours pas s'il a bien ou mal dormi. Il n'est jamais réveillé au bon moment pour s'en rendre compte. A force de prendre le désert pour une réalité, il en vient à dormir les yeux ouverts quand il n'a pas sommeil et à ne pas fermer l'oeil alors qu'il voudrait dormir.
— Ha, belle lurette ! s'écrit-il de son expression favorite et systématique dont lui seul a le secret.
— Ha, belle lurette, tant pis, sans nuit pas de cauchemard !

Sur quoi il se lève en secouant sa carcasse plus proche de la poule d'eau que de l'aigle royal. Il vide le sable de ses poches et de ses revers tout en mâchant un aphorisme qu'il se répète comme un bénédicité :

— Lorsqu'on est parti de quelque part on doit se rendre ailleurs.

Cela satisfait tout le monde. Sous la belle étoile qui cède sa place au soleil le principe suffit à sa peine et à son bonheur. Sa peine est un petit bout de femme qui se fait oublier. Sauf quand elle chante. Alors on oublie le reste. On l'appelle Blouse. Elle s'habille de noir.

Son bonheur est grand et se fatigue vite. Mais il a fière allure dans son habit qui change de couleur suivant son humeur. Bleu profond quand Blouse jazz. Turquoise mentholée lorsqu'il ouvre une figue de barbarie. Il se souvient de ses vacances à Armentières et de l'orgue du square. Indigo quand il ne sait pas ce qui lui arrive. Naphtol Crimson lorsque le spectale commence.

Grub, Blouse et le bonheur sans nom sont gens de scène. Ils ont un numéro qui leur porte chance mais ils ne sont pas superstitieux. Ils sont ensemble depuis...

— Si longtemps, dit Witchetty Grub. Ils ne sont jamais séparés et leur trio est célèbre dans tous les déserts de la planète. Leur caravane est annoncée de loin par une étoile qui brille plus que les autres. De jour la lune et le soleil leur indique le mirage à suivre. Ils ne déplacent pas beaucoup de poussière. Ils n'ont pas de bagage, une seule petite boîte qui passe de main en main. Sur leur chemin on ne voit qu'une trace de pas et les creux d'un bâton. Witchetty Grub marche sur les traces du bonheur et Blouse emboîte le pas en dernière position.

Quand vient l'heure de la représentation ils choisissent leur emplacement. Le bonheur lance une poignée de sable qu'il reçoit immanquablement en pleine figure. Ils s'installent là où il retombe aveuglé après quelques pas de dance. Grub se plante alors sur un centre imaginaire, tend les bras, l'un obliquant vers le ciel, l'autre le prolongeant vers le sol. Celui-là tient le bâton qui effleure le sable.

Blouse entonne *East of the sun, West of the moon.* On n'entend que sa voix noir sur noir. La bonne étoile juste au-dessus éclaire la piste où seul Witchetty Grub se met à tourner sur lui-même en traçant un cercle.

— Belle lurette, je vais encore me foutre par terre dit-il le plus bas possible pour ne pas déconcerter son public qui le regarde faire le compas. Il le sait. Il se ramasse une fois sur trois pris de tournis. N'est pas derviche qui veut ! Il peste alors contre un gros grain ou le bâton qui lui résiste, le clair de lune trop puissant ou tout autre mauvaise raison, pour ne pas perdre la face. Que faire d'autre ? Blouse a sa voix toute tracée. Quand au bonheur on ne peut pas lui demander de garder les pieds sur terre.

Lorsque le cercle est refermé ils sont tous trois à l'intérieur comme sur une planète plate et toute blanche. Le bonheur est vêtu de rouge. Blouse est toujours noire et chante *Body and soul*. Grub est couleur sable. Il s'accroupit et enfonce les mains dans le sol. Il les retire fermées sur deux poignées de sable. Il lève les bras sous la lumière et sent une main se vider, le sable glisser dans sa manche.
— Saloperie de lurette à la noix ! garde-t-il entre les dents. Il ne sait plus ce qu'il dit. Mais dans l'autre main brille la nacre d'un coquillage. Les applaudissements couvrent sa colère. Il pense aux lèvres marines de Blouse. Et Blouse chante *Stormy weather*. Il se met à pleuvoir. La foule met ses lunettes à voir entre les gouttes. Le bonheur change de couleur. Grub pose le coquillage sur la limite de la piste et reprend son rituel.

L'orbite se charge des exhumations. La plus commune, une rose des sables et des queues de lézards, des pinces de crabe, des cornets de glace, un collier de perles qu'il rend immédiatement à sa propriétaire, la pierre angulaire d'une pyramide, un oeuf de tortue, une bille de verre, un poisson pétrifié et un autre médusé, une passoire venue d'une autre histoire et beaucoup de choses plus belles et chargées de sens.

Il ne pleut plus. Le bonheur a couvert l'arc-en-ciel et Blouse le répertoire de Billie Holyday. Witchetty Grub se redresse en trois temps, en vieillard coupé en deux, en homme résigné et en seigneur comblé. Les bravos les étourdissent. Le bonheur devient rouge de bonheur et Blouse saoule, musique. Ils font un tour de piste et un autre en se tenant la main. Puis Witchetty Grub abaisse les bras face à la nuit qui cache le public. Le crépitement se calme et le silence revient. Il s'accroupit à nouveau et plonge une main dans le sable piétiné. Blouse reprend *These foolish things remind me of you*. Le bonheur est ton sur ton avec l'obscurité. Un enfant se met à pleurer. On lui a précipitemment dessiné un mouton sur le sable alors qu'il voulait un clown. C'est alors que Grub sort un masque d'auguste. Le bis est un triomphe. Debout le public hurle de joie et martelle le sable. Certains s'enfoncent et ceux qui n'ont plus que la tête hors de la dune claquent la langue. Il envoie le masque dans la foule vers l'enfant qui nargue sa mère. Un géant l'attrape au vol et fait une grimace au gosse.

L'étoile s'éteint. Sans perdre un instant Witchetty Grub débarrasse le sol de ses trouvailles et les fourre dans la petite boîte qui en a vu d'autres. Une admiratrice se faufile à grands points jusqu'à lui pour demander un peu de sable couvert de sueur. Dans l'ombre le bonheur est aussi noir que Blouse. Elle s'approche de lui.

— Bravo B.S.N. tu as été superbe ce soir. Elle souffle d'une voix douce comme un alizé.

Le bonheur ne sait plus quelle couleur se mettre. Il devient indigo mais même dans le noir on ne voit que lui. Jamais on ne l'a appelé comme ça avant.

La boîte est refermée. Witchetty Grub s'assoit. Blouse vient s'asseoir contre lui et prend sa main. Le bonheur se tient à l'écart. Il sait que Witchetty Grub est inséparable de sa peine, un petit charbon noir. Comme tous les trois sont inséparables du sable.

Blouse chante *Softly baby.*

LA FONTAINE PETRIFIANTE

Il était arrivé là tout seul, inexplicablement, sans être accroché à une main et sans questions pour raisonner sa découverte. La ville avait alors des scènes troubles entre ses odeurs fortes. Et tout se mélangeait chaque soir, le cœur plus mou, le sexe plus dur. La rue des femmes, les jardins prisonniers, le ruisseau sous l'usine. Tout menait à l'école, le parfum et la crasse. Tout en repartait, les envies comme les coliques.

Il avait quitté son chemin sinueux habituel pour s'engager en ligne droite vers son but. Il n'y avait que deux rues d'écart avec l'ordre quotidien et l'on passait d'un quartier étonnant à un quartier surprenant. Son exaltation était tournée vers l'intérieur, palpitante. En ce temps-là, le sac de billes avait une épaisseur. Il ne tenait pas encore en trois mots et c'était ainsi de tout ce qu'il touchait ou approchait. Indifféremment, au point que le volume de ces choses à comprendre enflait et lui volait sa place et son air. Ainsi se consumait l'enfance, à genou devant l'espoir, dans un sifflement aigu.

On entrait sans transition dans le mirage. Après un seuil et une porte ouverte, il était exposé en impasse. Un enclos cerné d'un mur couvert en partie d'une pergola gardait un local dans un angle et un bassin peu profond au centre. Il fallait passer devant la barraque comme une loge de concierge au pied d'un escalier pour aller vers l'eau, une découpe vague qui recevait une chute artificielle. Le sol était couvert de dalles ou de planches à claire-voie. A tout cela rien d'extraordinaire si ce n'était cette étrange austérité qu'on ne savait en premier lieu à quoi attribuer.

Il comprit ce qui manquait. Cette cour était un zoo sans animaux, un jardin sans plantes. On voulait y voir des canards fous, des phoques. Il n'y avait pas même une feuille prise dans le courant. Mais dans l'eau et sous la cascade il vit une multitude d'objets immergés. Des ustensiles, des outils, des bibelots, des assiettes, des pots, des bougeoirs et des pieds de lampe, des statuettes, des boîtes, des bouteilles et aussi des chaussures. Une décharge aquatique ou un sanctuaire d'offrandes noyées. Il sentit avec confusion les deux impressions indissociables. Il y avait là un rebut sacré. Car beaucoup de formes semblaient poudrées de blanc et d'autres épaissies par une couche plâtreuse qui en émoussait la silhouette.

Dans la petite maison, le prisme de l'eau ne modifiait plus l'observation. Mais à nouveau, au sol, sur des étagères et une table très longue, des copies grossières des mêmes objets s'empilaient toutes uniformément habillées de la pâte blanche. Il avançait avec précaution au milieu de cette exposition fragile. Cet endroit ressemblait à une couveuse remplie d'oeufs. Aucun n'était éclos bien que chaque forme semblât contenir un noyau à expulser. Il n'y avait que ces coques en instance de dissolution arrivées au point extrême de rupture. Il sut détromper le sens de ces images. Chaque moule au contraire éloignait l'objet contenu de la révélation. D'une chose achevée, l'eau avait refait ce brouillon. Il n'était pas au chevet d'un berceau mais à celui d'un tombeau. Car, dans la mare, les épaves englouties se faisaient digérer avec une diabolique lenteur. Longtemps après on en repêcherait les ossements sucés.

Il apprit plus tard qu'on apportait aussi des animaux naturalisés. Qu'ils se couvraient de la peau d'une statue. Il n'était plus certain d'avoir vu un chat au coeur de paille blanchir sous la cascade. Les nuits se succédaient aux nuits. Et, dans le noir il sentait qu'elles couvraient sa mémoire de blanc. Que ces nuits blanches passaient et repassaient leur craie pour écrire des merveilles et des horreurs sur un seul tableau.

Il ne sait plus où se trouve la source. Si elle existe encore. Si la patience permet encore aujourd'hui à l'eau de se changer en pierre. Il se promène toujours près des fontaines et va s'asseoir sur le rebord de l'une d'elles. On y voit des sirènes assises sur des rochers. Elles sont pâles et leurs seins de marbre, ronds comme ceux de jeunes vierges, laissent couler une eau pure. Cette eau fait un filet le long de leur corps.

LE PETIT TAMIS

Voilà des siècles que le goûter est à cette heure et réglé dans les moindres détails comme la petite cuillère entraînant un mécanisme délicat dans la tasse.

Quel garçon admirable ! pensent les invités qui n'en montrent rien. Lui, d'une indifférence simulée renvoie le compliment comme le prix payé pour cette considération. Il pince les lèvres, cesse de respirer et avale sans sucion une gorgée de thé chaud, — ce qui n'a en soi rien de remarquable mais cela vient de lui —. Lui si bien élevé laisse-t-on traîner parfois chez Mlle Corysandre d'Urfé. "Sur-élevé !" J'aimerais tant le hurler derrière cette porte si je n'avais pas un cookie dans chaque joue et un plateau sur les bras.

Je le pose sur la table, à sa place comme tout ce qui s'y trouve. Tout est plein avec justesse, le sucrier, le pot à lait, les coupes de fruit au point de se demander si personne ne se sert à moins que cela ne se régénère au fur et à mesure. — Je ne suis pas là pour le voir —. Chaque objet produit une sorte d'onde de choc sans le choc. Il y a des accès pour la main, des jeux d'ombres croisées et des alignements discrets. Le mérite revient à la savante observation de ce paysage. Enfin la table est ronde et des tableaux identiques en font le tour comme les heures d'un cadran. C'est ainsi que le temps passe sur l'argenterie et la porcelaine.

Il est devenu philosophe comme il n'avait rien d'autre à faire. "L'ordre est futile, le contre-ordre dérisoire..." — Je sais très précisément ce qu'il pense en brisant son sablé. — Encore : "Les habitudes usent les choses par un seul bout mais ce n'est qu'une apparence. Car ce qui est droit est aussi plus apte à se tordre." Et..."Il faut entretenir les conventions qui ne font que dissimuler les convulsions." Personnellement j'explique ça autrement : A se rincer l'oeil dans le champagne on peut toujours aller se presser le jus dans un pot de chambre. Ou alors : à prendre sa jugeote à son cou pour ne pas être étouffé par les brioches on peut aussi courir les poches pleines." Il est toujours prêt à raconter que cela se résume en une pratique quotidienne de l'attente, dans l'expérience de l'imprévisible et dans une patience empirique. Et d'y aller d'une petite métaphore : "Il faut s'attendre à suivre le lapin qui surgira du plus banal buisson, montre en main." Cela me fait doucement rigoler, il déteste le lapin.

Il a aussi quelques formules de côté au moment du toast qui font que chacun boit ensuite de travers. A l'enterrement d'Apollinaire c'était : "Un verre à moutarde se casse, une coupe de cristal m'échappe." Pour le mariage de Sally : "Il n'y a que la flûte pour faire trinquer la coupe." — Ça n'a rien arrangé. — Et sans occasion précise il raconte : "Lorsque la coupe est pleine elle déborde dans une autre."

Il avale une dernière gorgée de Jacksons of Piccadilly non sucrée pour garder un goût de prunelle sauvage. Se met un doigt dans le nez comme chaque jour à seize heures et cinquante-huit minutes depuis l'indépendance et dérobe la passoire avant de sortir.

Dans le couloir il se méfie. Les portes s'ouvrent sans raison et les potiches s'écroulent. Il tient l'oeil de mouche dans sa main gauche. Il est droitier contrarié depuis l'âge de dix-neuf ans, gaucher repentant depuis vingt ans, droitier réformé à vingt et un, gaucher détourné à vingt-deux... Et à chaque anniversaire sa main directrice change de camp. Cela remonte à cette rencontre, — il y pense à chaque fois que l'objet gonfle sa poche ou qu'il le prend en main — le jour où Sally, Sally Mara lui prit sa main dans le brouillard. Et jamais, non jamais il n'a pu se rappeler laquelle.

Il y a longtemps qu'il ne sort plus avec un crucifix. Le Diable est vieux et ne fait plus le malin. Il ne bouscule que les vieillards de son âge, comme moi larbin et paranoïaque notoire. Et je dois supporter les chatouilles inopinées de ce grabataire de Belzébuth, ses courants d'air chaud et ses assauts qui sentent plus le pétard à deux sous que le soufre de l'enfer.

Il serre la passoire. Il a tout essayé pour écarter l'esprit, la lumière, la parole de Dieu. Pour éviter la couronne d'épines sur ses pantoufles ou les clous sur la table de nuit. Divine tyrannie ! Chaque soir il crache dans son lavabo aussi fréquenté qu'un trottoir et jure d'en finir avec les illuminations nocturnes. Mais des anges passent tous feux éteints au-dessus de son lit et lui donnent des boutons. Il est allergique au duvet d'ange, au pollen d'acacia, à la fourrure de lapin et à la poussière. Il ne sait pas encore laquelle.

La salle à goûter est le lieu protégé de la maison. Les commentaires ne manquent pas. Depuis que le Diable a lâché la partie on dit que c'est un vrai paradis.

Quelle stupide et honteuse interprétation que de croire à la présence du barbu et à l'absence du crochu ! S'il est vrai qu'on ne s'y enflamme plus on pourrait tout aussi bien s'y sentir des ailes. Hors, il ne s'y passe jamais rien. On goûte à la paix la plus absolue. Ce qui, de notoriété n'est pas le fait de Dieu. Non, la preuve est là : personne n'y boit jamais de café mais by Appointment to her Majesty the Queen, une infusion qui se passe de commentaires. Ainsi au milieu de la table trône l'objet qui les garde du maelstrom, humblement anonyme. L'ordre survit par quelques trous au bout d'un manche.

Je n'ai eu que le temps de grimper dans ma mansarde. A travers mon oeil de boeuf je l'aperçois dehors, la main sur son oeil de mouche. — Je n'invente rien, c'est le nom qu'il donne à sa passoire. — Le tout est dans une poche déformée qui se retrouve plus basse que l'autre. Je le suis immobile. Il se dirige vers le labyrinthe de haies. Il est le seul à pouvoir y pénétrer. Du moins à ce qu'on croit. Car la seule certitude est qu'il soit le seul à en être ressorti à ce jour. J'ai quelques confidences sur le sujet.

Il entra pour la première fois dans le labyrinthe un jour de grande distraction. En ce temps-là on l'appelait Ka à cause d'érudits qui le trouvaient plus mort que vif lorsqu'il errait livre en main à la recherche d'un nom. Du sien, d'une certaine façon, de celui du moment, un nom d'emprunt qui durait ce qu'il durait. Mais d'une manière générale il cherchait aussi ses mots, plus exactement le Mot, celui qui aurait éliminé tous les autres. Car, dès le berceau, il avait eu du mal à se faire entendre. On lui avait donc prodigué les conseils pour tous les nouveaux nés : "il faut trouver le mot juste ou il faut tourner cette fois sa langue dans sa bouche avant de parler." C'était un enfant sensible, il en fut très impressionné. Et, comme il était peu adroit de son corps, après des efforts linguistiques au-dessus de ses forces, il s'appliqua à résoudre le premier problème. D'abord insouciant il se mit à souffrir de mots de plus en plus fréquents. Puis il grandit à vue d'oeil et en une seule fois. Tout commença alors à aller mieux. Il devint consciencieux et amateur de littérature et surtout du reste. Pendant longtemps son ouvrage de référence fut LE TRAITE DE PLOMBERIE ET D'INSTALLATION SANITAIRE de Henri Charlent par ailleurs Président honoraire des Unions Nationale et Internationale de la Couverture-Plomberie. Il s'agissait de la dixième édition comportant la réglementation des installations d'eau et de gaz dans les immeubles d'habitation. Il se passionna pour le Siphon suédois à branches inégales de détente puis l'Antibélier oléo-pneumatique Nord et Alpes. Il s'identifia même au Reniflard Mingori dont certains rapportent qu'il se présenta longtemps sous ce pseudonyme. Mais rien ne l'aidait vraiment en profondeur.

Il était donc Ka, quelques années plus tard, le nez dans une histoire mais le coeur n'y étant pas. Il était triste et rêvait à Sally qui l'avait plaqué pour ce minable de Barnabé. — Ça au moins c'est un nom qu'il ne porterait jamais. — Il ne savait pas où il mettait les pieds. Lorsqu'il leva les yeux pour reprendre son souffle, il vit avec Stupeur, le chien qui le suivait partout, qu'il était bel et bien enfermé dans un endroit où il n'était pas entré. Il se trouvait au beau milieu d'une enceinte végétale plus haute que lui et apparemment hermétique. Il se demanda s'il n'avait pas, sans le savoir, lu enfin le mot juste, le Sésame à l'envers qui fait que tout se ferme. C'était bien sa veine ! Il cracha son venin. C'était la première fois et cela lui était venu spontanément. Plus tard il continua à cracher sur tout ce qui était incompréhensible. Le chien grogna car il l'avait manqué de peu. Il baissa les yeux et vit son crachat sur un bout de papier et d'autres morceaux comme des lettres déchirées. Il se senti ému par ces souf-frances inutiles, un mot en valait-il la peine ? Immédiatement il changea d'idée et pensa que quelqu'un avant lui s'était perdu dans ce trou, qu'il avait à ses pieds une déclaration d'amour, qu'elle contenait des cochoneries et qu'il n'avait plus qu'à en rassembler les qualités éparpillées. Il se baissait pour se mettre à l'ouvrage quand il entendit : "Fils de brute tu es au centre de ton énigme et tu patauges dans ta fange !" Il y avait au moins trois mots qu'il ne com-prenait pas dans cette phrase. Il sortit du labyrinthe anonyme et très las.

Depuis il y retourne tout le temps après y être allé quelquefois puis souvent. L'épisode des lettres a consommé la séparation du corps de son âme. Il va donc se donner des plaisirs séparés. Il a beaucoup changé de nom mais a décidé de ne plus s'appeler. Il a aussi aban-donné la recherche du mot juste pour reprendre la méthode de la langue qui tourne dans la bouche des autres.

Le chien, quant à lui, mourut à l'âge de quatorze ans d'une crise cardiaque en prenant conscience de son nom.

Des animaux, il en avait eu un zoo, des petits et des grands, selon les époques. Pour faire bonne figure il eut même une girafe anglaise qui, outre sa taille pour les grandes occasions, avait des dons à sa hauteur. La bête lui fit des apple struddle à la custard tiède et des scones à la gelée de rhubarbe. Ce temps s'écoulait, béni du Diable déjà gâteux alors que Dieu n'existait pas encore. La girafe relevait le niveau du bon mauvais goût. Son père était anglais et sa mère ongulée. Si parfois son pudding sentait un peu le poil de bouc grillé on savait à qui l'attribuer. Mais son plus grand tribut fut sans conteste de verser dans la coupe déjà pleine de la famille Frog un coquetêle de son cru, selon la vieille Géraldine Frog qui avait pris l'accent sur le comptoir du Pitchoun', un bar de marins à Charleville-Méziéres entre deux guerres et entre deux Sloe comfortable screw.

C'est dire qu'elle en connaissait une paille sur le sujet. Elle avait aussi très bien connu Pierrot mon ami à l'Alpinic-Railway de l'Uni-Park de l'avenue de Chaillot et ce, par l'entremise d'un certain Quenotte dont elle avait été la concierge en vingt-neuf au Portugal. Bref, la dite boisson d'avril, mais personne n'est d'accord sur le jour, était selon Géraldine un mélange de Lapeusangue souchongue et d'Orange pécoeue. A cette époque il s'appelait Lord mais pris de passion pour le ventre rond de la théière on l'appela Milord.

Alors, dans les feuilles noires au fond des tasses il se mit à chercher quelque chose du genre passé torréfié. Il se brûlait pour toucher le fond le plus vite possible. Puis il restait des heures devant la tasse vide avant de refaire chauffer de l'eau. Il essayait de comprendre ce qu'avait pu être sa vie entre quatorze semaines et dix-sept mois et demi, lorsque sa mère était partie avec un autre que lui. Un jour il s'habilla d'un sac. La veille il avait mangé la dernière purée, l'avant-veille des patates rôties et le jour d'avant des frites pour en finir au plus vite. Il passa une nuit à couper, raccourcir, coudre et découdre. Au matin il essaya le sac, serré à la taille, pincé aux épaules, bordé d'une fine dentelle et brodé dans le dos d'un coeur approximatif. Et, en lettres fluo type Rockwell extra bold, corps vingt-cinq, on pouvait lire : LE MALE EPHEMERE. Il y aurait eu beaucoup à dire mais ce n'était pas le moment. Il noua une cordelette de fils d'or, ajusta ses plis, se poudra discrètement, rectifia le rose de ses lèvres et sortit.

Poussé par la brise il se posa comme une plume aux abords du port. Ni la brume ni la nuit n'étaient encore levées. Il arriva au début de la jetée dont il ne voyait pas le bout. Je n'en voyais pas davantage derrière mon mur de poubelles passablement harengées. Il écarta les bras. Un bruit de quadrimoteur étouffé troua le silence ou perça la nuit, je ne sais plus, mais le coupable fut arrêté quand il fit jour. Il fonça dans le brouillard droit sur l'océan qui dormait et On le perdit de vue. Etant donné mon point de vue, moi je le perdis avant. On ne s'en inquiéta pas. Il avait ouvert un oeil sur le vacarme et le referma rassuré. – Les vols de nuit de nos jours étant affaire courante.– Il était clochard et bien calé sur la porte du bistrot. Il avait trouvé cette situation de veilleur de nuit et On veillait donc sur la nuit avec zèle.

C'est ainsi que Goldmund, de son nouveau nom bien qu'il se fût promis de ne plus en avoir, qu'il eût cessé de lire, qu'il gardât le souvenir des vies qu'il n'avait pas vécues, c'est donc ainsi qu'il disparut dans l'obscurité.

A l'ouverture du troquet, Sally lui tenait la main. Accoudés au comptoir ils prenaient un pot genre Coka-Vodka. Ils prirent l'habitude d'en prendre.

Mais avant de rentrer chez lui il passa à la droguerie s'acheter une passoire athée.

L'ART DU ROI
ET LA REGLE DU JEU

Il avait l'art de plaire mais plaire n'étant pas un Art, à son idée, au plus une habitude royale, il se mit en tête d'exercer celle-ci précisément au jeu de rôle. Son rôle de Roi étant bien l'Art du jeu, il décida de devenir Maître du Jeu de loi. Bien qu'il eût de grandes dispositions à cela, il se méfiait d'un jeu qui, par le nom même, n'engageait pas à être pratiqué. Il regardait les croix de l'échiquier comme des prophéties à l'ombre des tours. Surtout celle des fous au bout des diagonales car de plus malins que lui s'étaient couchés déjà au pied d'une reine alerte.

Aussi pour son pari s'entoura-t-il de simples courtisans anonymes, — pouvait-il aller jusqu'à dire "des pions"? — plus

humbles à le servir et plus sûrs de ne pas
le trahir. Ceux qui le voudraient l'aide-
raient, les autres en seraient dispensés
du fait de leur simple refus. Et le Roi
publia un acte qui tenait en peu de
mots :

LE JEU
DEMANDE DES TETES A COUPER.
L'EXECUTION SE FERA SELON
LA REGLE DE L'ART.

Ces propos sibyllins en surprirent plus
d'un et se mirent à errer un certain
temps de bouche perplexe à oreille
sceptique. Se pouvait-il qu'on fît un sort
à cette phrase brève en y trouvant
matière à application et surtout qu'on la
comprît complètement tant ses termes
semblaient justes, tant ils étaient concis
pour un esprit peu avisé des moindres
mots. Se pouvait-il qu'on l'interprétât à
la lettre sans contresens, fut-il bienveil-
lant, car le sens même de la règle était
qu'on s'y conformât et non qu'on lui
prêtât un sens. Il fallut le temps de la
familiarité qui fait de l'étrangeté une

possibilité, des conseillers zélés et un laconisme royal persévérant pour que la loi devienne supérieure et autonome.

Ainsi des courtisans finirent pas s'acquitter d'une mission dont la nécessité n'était plus question puisqu'impénétrable mais dont la motivation était une réponse à la loi. Il fallait balayer devant sa porte, la poussière n'avait qu'à bien se tenir ! On apporta donc ses têtes à couper. Et quarante s'alignèrent dès la fin de l'hiver, premiers trophées d'un règlement de conte aussi peu ordinaire.

Le monarque y trouva une grande récompense. Tout ne se passait-il pas dans l'honneur et l'estime des parties engagées ? Les victimes d'abord, élues au Panthéon, dont les titres seraient honorés par la rhétorique commémorative. Les courtisans flattés par le devoir accompli dans si peu de contribution et tant de conséquences. Et enfin le Roi lui-même, grandi par ces nouveaux remparts d'autorité et que le bon usage des mots protégeait derrière les délégations successives. N'avait-il pas encore habile-ment laissé une ouverture dans la règle quant à son épilogue ? S'accordant le bonus de la surprise et laissant par cette latitude, à ses porteurs de têtes, l'illusion d'un pouvoir. Celui qu'une bonne cons-cience s'invente à organiser les modali-tés d'application d'une loi qui n'a fixé que le principe. Mais, par-dessus tout, le Roi ressentait l'extase différée de sa décision. Il ressassait et se plaisait à étudier le lien de causalité entre l'impul-sion et le résultat. Il jubilait à l'idée de parfaire un système où plus de consé-quences encore pourraient découler de moins de moyens. Il en vint à éprouver sa logique en inventant des scénarios d'attaque de son plan. Il voulait être le premier et le seul à prendre sa propre martingale en défaut, à trouver une faille dans un paradoxe. C'était aussi un privilège de Roi.

Ainsi l'absence d'une personnalisation de sa souveraineté se retournait-elle comme le manquement d'une hiérarchie, comme une forme d'impuissance pour qui donne aux apparences plus de poids qu'à la substance ? Il avait mis le jeu au front de l'engagement de ses troupes et donc placé le règne entre d'autres mains que les siennes. A contrario et, pour qui aurait pris ce recours impérieux à la règle comme une collusion entre le Roi et le Jeu, pour qui aurait condamné cette alliance sur un plan moral comme l'abus de deux absolus complices, que restait-il de la légitimité royale ? Et le Roi trouva ses réponses.

Aux premiers il eut dit : Quarante victimes suffisent à ma grandeur et celles à venir. Car autant de fois la règle fut suivie, autant de fois on m'obéit. De fait, on passa outre son incompréhension et mieux encore, par son respect aveugle on se fit le défenseur et le pourvoyeur de l'esprit de règle qui se répandit comme un germe. Cette règle pèse sur moi et m'enfonce dans ce trône plus définitivement qu'un plébiscite.

Aux seconds il eut dit : Votre méprise

tient dans cette confusion entre l'éthique et l'exercice du pouvoir. L'une lui donne une moralité, l'autre permet de l'acquérir. Je n'ai ni trahi la première ni bradé le second. En publiant mon acte j'ai agi en tant que Roi, en lui donnant son contenu j'ai questionné le Roi. Et le Roi reste Roi si ses lois sont justes dans cette sémantique. Je m'entourai du Jeu comme d'un ministre de confiance, il trouva alors des courtisans et leur engagement justifia ma volonté. Ainsi se répartit l'exercice.

L'histoire s'arrête où commence la légende. On en apprit guère plus sur ce curieux royaume. On rapporte cependant que d'autres têtes vinrent s'ajouter dans le palais où le Roi dut s'affronter sans témoins. On ne sait qui du Roi joueur ou du joueur Roi sortit vainqueur de l'enjeu. L'un d'eux se présenta à la cour avec une tête sous le bras et nul ne put jamais distinguer le bourreau de sa victime. On supposa que le Roi fidèle à sa règle n'avait pu mettre la main à la tête du joueur car il eut fallu un tiers pour la désigner. Ce qui laissa imaginer que le Roi avait succombé à la malignité du joueur. Mais on apprit aussi que le jeu avait été arrêté quelques temps avant et qu'en conséquence sa loi était devenue caduque.

LE POEME EN VERRE

Je donne ce livre parce qu'il est de la bibliothèque Rose et que cela n'est plus de mon âge, et ce livre je l'ai en double et que si je veux le relire je peux relire l'autre.

Céline Cordier (5e A, collège de Rhinau).

PREAMBULE

En trouvant ce titre j'étais ému comme une communiante gardant l'hostie sur le bout de la langue. Une sublime chatouille qui tient du rot de limonade et de l'évanescence du pop-corn. Certes, je n'ai jamais été petite fille. Et de picotement sous le palais je ne connais guère que celui du beignet japonais aux crevettes. Mais je n'ai pas voulu ternir mon plaisir.

J'aurais pu dire "poème envers". J'ai écarté cette facilité. On ne commence pas un texte en donnant du mauvais sens aux lecteurs. Ils se mettent à penser avant même de lire puis essaient de lire et finalement lisent ce qu'ils pensent. Autant ne rien écrire.

C'est d'ailleurs ce que j'ai fait. Tout était déjà dit...

Quand *Justine fait escale à Bangkok* la vertu gagne des infortunes entre les prouesses du Tao et du Kâmasoutra. Lorsque *Heidi et l'enfant sauvage* se retrouvent, le chocolat sent bon le poivre vert. *Jojo lapin contre-attaque* et *Fantômette à la mer de sable* vient me retrouver. Bref, *les mémoires de Casanova* n'ont d'égal que cette histoire rose et verte avec un peu de rouge, un soupçon d'or changé en plomb et quelques teintes accessoires.

Qu'y avait-il à ajouter sinon les ajouter ? Il fallait un chapeau, — le casque de Faustroll fit l'affaire,— cent sept papiers, autant de numéros et un bon tireur

–le sort est devenu habile avec tant de hasards.– Ainsi la liste est sortie, entre l'étrange et le mystère, entre Michel et César...

Il restait encore à la couler dans le bronze, ou quelque substance alchimique de caractère. Hors, je découvris un vieil adage qui n'avait pas encore été inventé : "on ne cache plus rien, ni les chaussettes, ni les mots". J'avais compris ses conséquences sur le raccourcissement des manches de pantalon. Le travail était à moitié fait. En prenant les mots au pied de la lettre, je devais aller vers cette transparence du langage.

Ainsi fut sablé sur le verre ce que je n'avais pas écrit sur le papier. Une forme d'épitaphe à Saint Perec à ne pas mettre entre toutes les tombes !

LE POEME EN VERRE

Les étranges vacances de Michel
Boum le petit tambour
l'école sans société
la neige enchantée
Bari chien-loup
contes du cheval bleu
après la pluie le beau temps
l'enfant aux aigles
le lis de la mousson
suspens
le champion d'Olympie
Isabelle et la maison qui roule
un éléphant, ça trompe
contes à mes neveux
НАРОДНИ МУЗЕЈ БЕОГРАД
une société sans école
les malheurs de Sophie
papa-fantôme
la toile de Charlotte
Fantômette au carnaval
l'évadé d'Edimbourg
contes de la bécasse
croisière pour trois otages
fille de chouans
la famille arc-en-ciel
mémoires de Casanova
renard-destin et bouc-errant
illusions perdues
les cinq au cap des tempêtes
le garçon du marais
Aurore la petite fille du bâtiment Z
Jean Valjean
Archaos ou le jardin étincelant
c'est notre secret, Vasco

74

l'excellence est à tout le monde
Lili et le secret de la tour
l'amour est ma chanson
le loup des mers
Fantômette à la mer de sable
l'androïde un garçon vraiment branché
le mystère de l'île aux mouettes
Fabrice et berger
le chef blanc
la condition humaine
la case de l'oncle Tom
le mystère du chemin des églantiers
le lys dans la vallée
coccinelle à Monte-Carlo
détournements de mineures
saint-Ex
l'histoire de Buffalo-Bill
les aventures de Jojo lapin
un chien pour Dominique
Tom Sawyer
histoires du bout du banc
Véronique et le merveilleux
le noël d'Hercule Poirot
un américain à la cour du roi Arthur
quel amour d'enfant
la coloquinte
le tour du monde en quatre-vingt jours
rien ne résiste à l'amour
sur une planète lointaine
Kes
docteur du bout du monde
Michel et les casseurs
une banane dans l'oreille
le prisonnier
le jour le plus long
trois garçons et un ruisseau fou

la guerre des boutons
premier de cordée
Tony et le secret du cormoran
la mariée était en noir
Bennett n'en rate pas une
le mystère de la rivière noire
SAS, le trésor du négus
Oui-Oui champion
Kornelli
Jojo lapin contre-attaque
Cécile et la panthère noire
Davy Crockett et les brigands
Fantômette en danger
Crin-blanc
Oui-Oui au pays des jouets
les cinq contre le masque noir
après la pluie le beau temps
les religions d'un président
les convoyeurs de la longue nuit
mademoiselle trouble-fête
le sceau de satan
une extrême amitié
Notre-Dame de Paris
Justine fait escale à Bangkok
une si jolie menteuse
de la terre à la lune
les aristochats
Heidi et l'enfant sauvage
une comète au pays de Moumine
le débarquement
fleur de soleil
Coumba du pays oublié des pluies
le silex noir
César et la clef du mystère.

Le dispositif
La bibliothèque muette
se compose de 107 livres recouverts
de sable et d'une plaque de verre
murale portant leurs titres

Réalisé au collège de Rhinau (Alsace)
entre octobre 1988 et juin 1989
dans le cadre du programme de
résidence en milieu scolaire
"Entrée des Artistes"

Le livre
La bibliothèque muette
a été écrit à Rhinau
et à Vendenheim (Alsace)
entre janvier et mai 1989

Edité avec l'aide

du

Imprimé et tiré à mille exemplaires
sur les presses de l'Imprimerie Valblor
à Strasbourg.

Dépôt légal : juin 1989